了解我们生活中经历的各种事物的
规律性或者与数有关的规律性，并
规律性　　直接进行探究。

图书在版编目（CIP）数据

你好！数学：最亲切的数学概念启蒙图画书精编版. 第 2 阶段 / (韩) 金京华等著; (韩) 金永善等绘; 仇艳等译. —武汉: 长江少年儿童出版社, 2015.5
ISBN 978-7-5560-2672-2

I. ①你… Ⅱ. ①金…②金…③仇… Ⅲ. ①数学课—学前教育—教学参考资料 Ⅳ. ①G613.4

中国版本图书馆 CIP 数据核字（2015）第 073018 号

著作权合同登记号：图字：17-2010-119

你好！数学·最亲切的数学概念启蒙图画书精编版 20

失踪的皮诺博士
（第2阶段 / 规律性）

原　　著：文 / 金京华等（韩）　图 / 金永善等（韩）　译 / 仇艳等
丛书策划：梁　崴
责任编辑：梁　崴　冯　云
美术设计：新奇遇文化

出 品 人：李　兵
出版发行：长江少年儿童出版社
经　　销：新华书店湖北发行所
印　　刷：湖北新达泰印刷有限公司

开本印张：12 开　30 印张
版　　次：2015 年 5 月第 1 版　2015 年 5 月第 1 次印刷
书　　号：ISBN 978-7-5560-2672-2
定　　价：200.00 元（全 10 册）

业务电话：(027) 87679179　87679199
http: //www.cjcpg.com

你好！数学 · 最亲切的数学概念启蒙图画书 精编版

千万亚洲妈妈亲子阅读首选
韩国图书最高政府奖——文化观光部教育经营大奖
韩国三大图书销售网络五颗星★★★★★推荐图书
韩国"每天一卷，博览3000"儿童阅读推广计划重点图书

失踪的皮诺博士

文 / 金京华等 (韩)　图 / 金永善等 (韩)　译 / 仇艳等

长江出版传媒 | 长江少年儿童出版社

著名的数学家皮诺博士神秘失踪了！
博士夫人急忙将布力侦探请到了家里。
"也就是说，昨天吃完晚饭以后，
博士就失踪了，对吗？"
"是啊是啊。"博士夫人焦急地回答。
不管怎么说，这个事可不寻常。

3

布力侦探仔细观察了皮诺博士的书房。
在那里，他发现了重要的线索——
皮诺博士的笔记本。

这是什么呢，组成三角形的数字？

3月10日，星期天

终于找到了构成正三角形的数字规律。

3，6，10……

这是多么美丽迷人的数字啊！

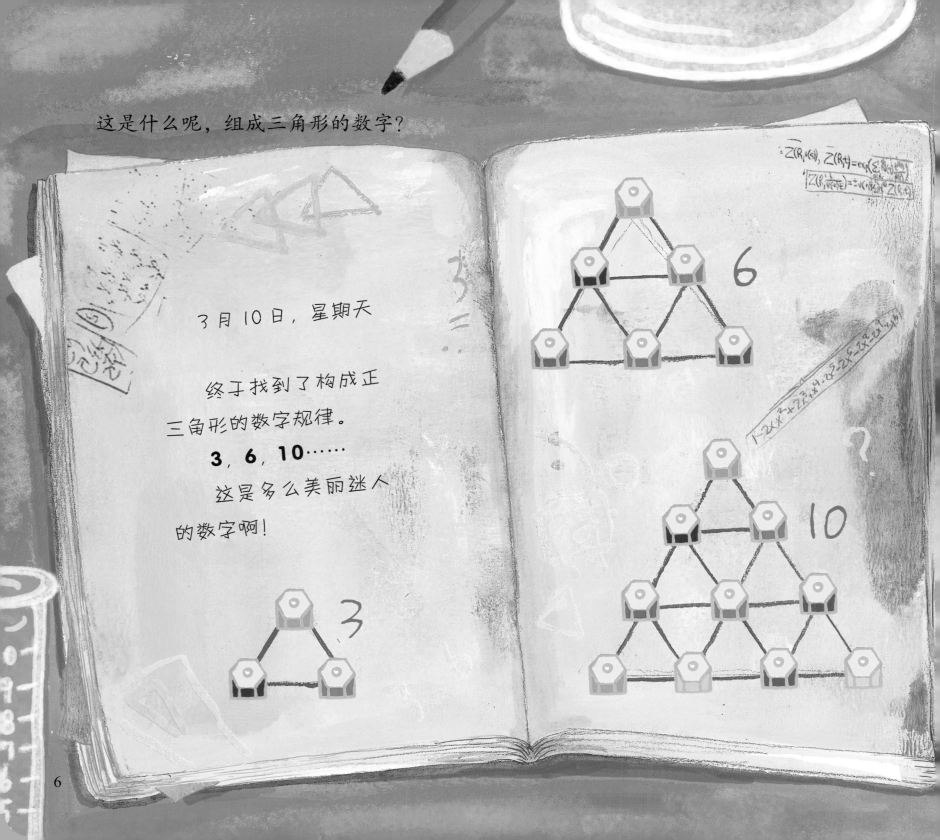

这边是组成正方形的数字呢。

3月11日，星期一

终于找到组成正方形的数字规律了。

4，9，16……

这些是可以组成端正的正方形的数字。

数字的世界多么神奇啊！

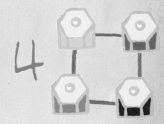

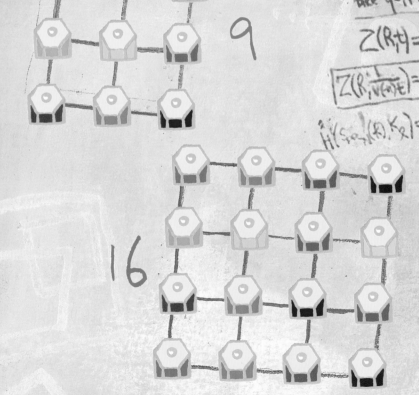

3月12日，星期二

哦，我发现了真正伟大的数字规律！
1，1，2，3，5，8，13……
前面两个数加起来的话，就是接下来的那个数，
多么奇妙的规律啊！

8

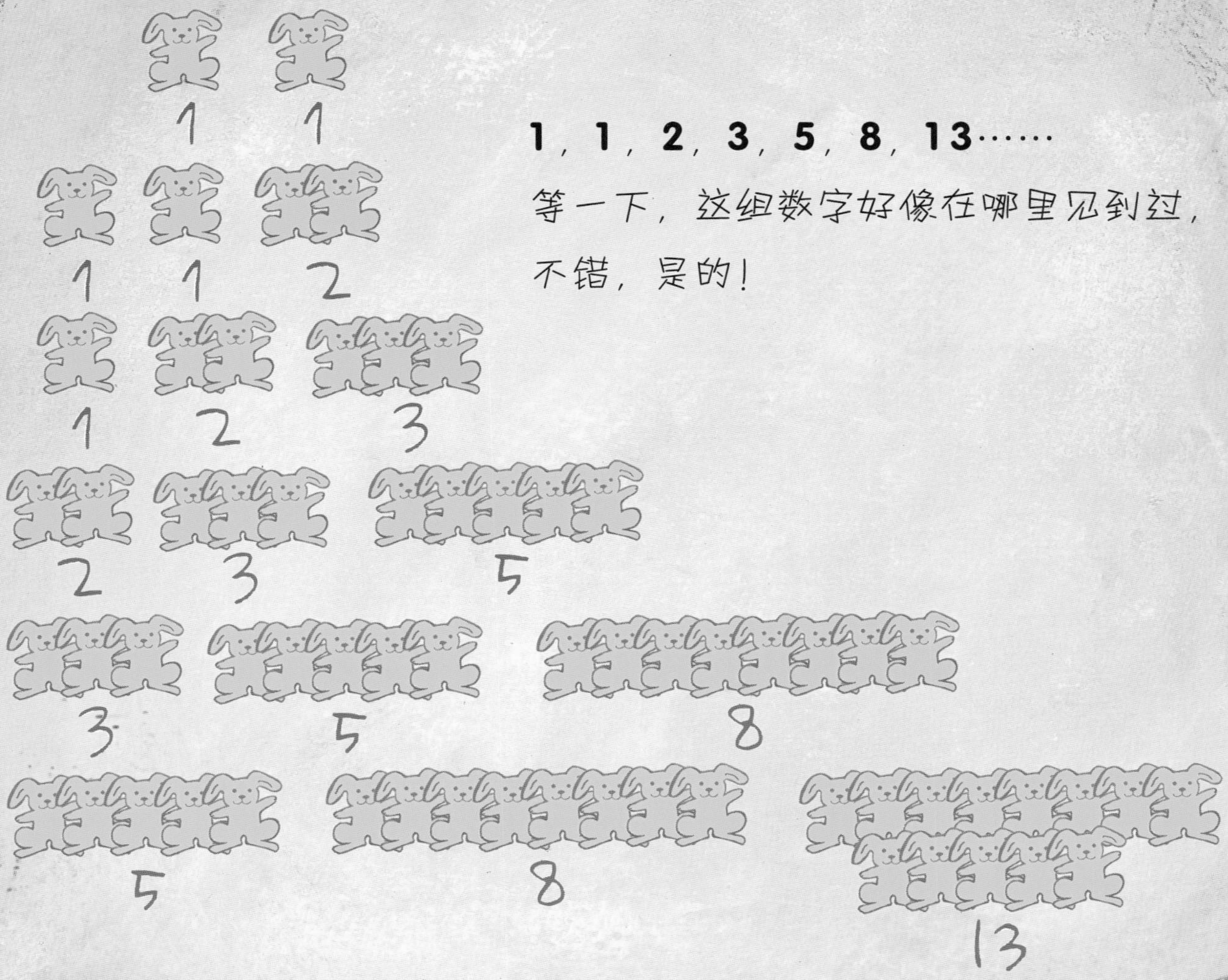

1 1

1 1 2

1 2 3

2 3 5

3 5 8

5 8 13

1，1，2，3，5，8，13……
等一下，这组数字好像在哪里见到过，
不错，是的！

9

皮诺博士的笔记写到这里就结束了。
发生了什么可怕的事情呢？
博士说那些数字好像在哪里见到过，
到底是在哪里见到过呢？

11

"侦探先生，您发现了什么吗？
博士不会是被坏人抓走了吧？"
博士夫人担心地问道。

"这个嘛，
现在还不好说。"
布力侦探一边思考一边回答。

13

如果博士被坏人抓走的话，一定会留下些痕迹的。
布力侦探在房子周围仔细寻找，可什么线索都没有找到。
现在已经走过了桥，到了分岔路口了。应该往哪边走呢？
咦，这边有三颗石子！

三颗石子，

不就是组成正三角形的数字吗？

难道是皮诺博士留下的？

布力侦探向着有石子的方向跑去。

对，一定是这边！

跑着跑着，布力侦探又来到一个分岔路口。

这次往哪个方向走呢？

咦，那面旗子上画的是什么呢？

对了，正好是博士的笔记本上记录的数字正方形啊！

对，一定是这边！

对，一定是那边！

20

啊，看那边！
那边也有 4、9、16 片叶子的树，
这些数字正好也可以组成正方形啊！

布力侦探不停地往前跑。

奇怪啊！这里怎么会有个花园呢？

怎么回事？走错路了吗？

就在这时，布力侦探听见有人在说话。

啊，是皮诺博士在自言自语呢！

"博士，终于找到您了！
到底发生了什么事啊？"
"啊，我正在书房里写着写着，
突然就想到花瓣的数字规律了。
来，看这个！大部分花的花瓣数都是
1，2，3，5，8，13，21 这几个数的其中之一呢。"

"马蹄莲是 1 片，
灯台草是 2 片，
鸢尾花是 3 片，
大花马齿苋和木槿花都是 5 片，
牡丹和大波斯菊是 8 片，
还有金盏花是 13 片，
而翠菊是 21 片哦。"
"花瓣里隐藏着这种规律，
真是个令人惊奇的发现啊，
不是吗？！"

25

皮诺博士又出发了。

"皮诺博士，您又要到哪里去啊？"

"我还要继续寻找，说不定什么地方还存在这种数的规律呢！"

哎呀，这个皮诺博士！真是拿他没办法。

寻找各种数字的规律

本书通过讲述失踪的皮诺博士的笔记本上记录的内容，让孩子学习了几种数的规律性。首先从组成正三角形的数的简单规律开始讲述吧。

比如，用围棋棋子组成正三角形，最少需要 3 颗；如果要做个更大的正三角形，就需要 6 颗棋子；比这个做得更大呢，就需要 10 颗。这样 3、6、10 这类的数字，可以以三角形的形状排列，这些数叫作三角数。

不仅如此，故事中也讲述了将前面两个数加起来等于后边一个数的奇特规律。就像 "1，1，2，3，5，8，13……" 这样延伸下去的数字所表现出的数的规律，这个规律是意大利数学家菲波那契首先发现的。

故事的后面部分讲述的内容，也让孩子领悟到大自然的神奇。仔细观察，花瓣的数目也隐藏着奇妙的数字规律。

和孩子一起做的数学游戏

用牙签做正三角形

这是用牙签和孩子一起做各种大小的正三角形的游戏。（小心尖锐的牙签哦！）

✖ 和孩子一起，每个人分 21 根牙签。

✖ 先用 3 根牙签摆成一个正三角形。

✖ 跟孩子玩剪刀石头布的游戏，赢的人再加 1 根牙签，渐渐形成更大的正三角形。

✖ 最先用完 21 根牙签的人就是游戏的胜利者。

✖ 游戏结束后，数一下做成大的正三角形所用牙签的总数。

 有趣的数学问题①

用石子做正三角形

布力侦探收集了一些石子，并做成了大小不同的正三角形。

做正三角形用的石子的个数一共有多少颗呢？看图画，在方框中填入石子的正确个数。

哈哈哈，一共用3颗石子做成了正三角形！

1

一共用 □ 颗石子做成了正三角形。

2

一共用 □ 颗石子做成了正三角形。

有趣的数学问题②

将增加的石子涂上颜色

这一次皮诺博士做了一个巨大的正三角形。博士要再多放几颗石子才能做出下面的大的正三角形呢？请在多放的石子上涂上颜色。

1

2

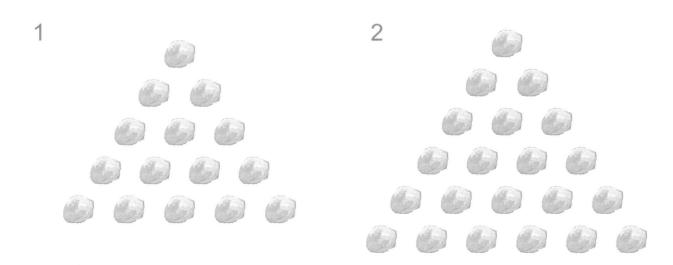

寻找数的隐藏规律

皮诺博士和布力侦探一起在盘子里放点心，做成不同大小的正方形。数一下比最初放的点心数多放了几个，然后在方框中填入正确的数字。

比最初放的 4 个点心多放了 □ 个。

比最初放的 9 个点心多放了 □ 个。

你也能在看上去没有规律的数字中找到规律吗？

当然了，我有信心。

孩子们对从 1 开始按顺序写下的数字比较熟悉，因此可能会对跳跃的数字或是没有按顺序写下的数字感觉容易混淆。父母平时可以和孩子一起做用点心之类的物品找数字规律的游戏。在做游戏的时候，告诉孩子想要做不同大小的正方形，需要多添加 5、7、9 个点心等。

你好！数学 1~30册

最亲切的数学概念启蒙图画书